七不思議神社

作　緑川聖司
絵　TAKA

あかね書房

ジージジジジジジジ……

もう八月も終わりが近いというのに、頭上からはセミの声が、まるで雨のように降《ふ》りそそいでいる。

神社へと続《つづ》く長い石段《いしだん》のとちゅうで、ぼくはふと足を止めて、ひたいのあせをぬぐった。

青々《あおあお》としげる雑木林《ぞうきばやし》のすきまから、木もれ日がさしこんで、足元をまだらにそめている。

七節《ななふし》神社。

それが、この先にある神社の名前だった。

先週引っこしてきたばかりで、荷物の整理も終わって、とくにすることのないぼくが、朝ごはんを食べて家でごろごろしていたら、

「この町に住むんやったら、こっちの神さまにあいさつしといたらどうや」

と、ばあちゃんにすすめられたのだ。

石段《いしだん》の先にある朱《あか》い鳥居《とりい》を見あげて、リュックをかつぎなおすと、ぼくはフウ、と息をついて、またのぼりはじめた。

ようやくてっぺんまでたどりついて、鳥居《とりい》の手前でふりかえると、広いグラウンドのある白い建物《たてもの》が見える。あれが二学期から通う、七節《ななふし》小学校だろう。

その向こうがわを、あずき色をした四両編成《へんせい》の電車が、ゆっくりと通りすぎていく。

電車のゆくえを目で追《お》いながら、ぼくはそっとため息をついた。

五年生の夏休みという、ちゅうとはんぱな時期に、父さんの実家のあるこの七節町《ななふしちょう》に引っこしてきたのは、今年の春に起きた、ある事件《じけん》がきっかけだった。

父さんの母さん――つまり、ぼくのばあちゃんが、ひったくりにあったのだ。

三年前にじいちゃんが亡《な》くなってから、ばあちゃんは、山に囲《かこ》まれたこの小さな町に、ひとりで暮《く》らしていた。

五月の連休があけた、平日の昼下がり。

駅前の銀行でお金をおろしたばあちゃんが、バス停《てい》に向かって歩いていると、バイクに乗った男が後ろから近づいてきて、かたにかけていたカバンをひったくっていったのだ。

ばあちゃんは、

「ドロボー！」

と、さけんで取りかえそうとしたけど、けっきょくカバンをうばわれた上、転んだひょうしに足を骨折《こっせつ》して、しばらく地元の病院に入院するはめになってしまった。

心配した父さんが、ベッドに横たわるばあちゃんに、

「退院《たいいん》したら、マンションでいっしょに住まないか？」

と提案《ていあん》したんだけど、ばあちゃんは、

「じいちゃんと長年暮《く》らした家をはなれたくない」

といって断《ことわ》ったらしい。

困《こま》ったな、と思いながら病室を出た父さんは、ちょうど知りあいのお見まいにきていた高校の同級生とばったり会った。

そこで父さんの事情《じじょう》を聞いたその人が、あとつぎがいなくてなやんでいるという、近くの洋食屋さんを紹介《しょうかい》してくれたのだ。

店は実家から通える場所だし、元々調理師《ちょうりし》として長い間働《はたら》いていた父さんにとっても、願《ねが》ってもない申《もう》し出《で》だった。

父さんが前から独立《どくりつ》したがってたのは知ってたし、ばあちゃんのことも気がかりだったから、相談されたときは、ぼくも引っこしに賛成《さんせい》したんだけど……。

鳥居《とりい》をくぐると、だれもいない境内《けいだい》に、白い陽ざしがジリジリと照《て》りつけている。

境内《けいだい》の真ん中では、太い幹《みき》にしめ縄《なわ》が巻《ま》かれたご神木《しんぼく》が、大きな日かげをつくっていた。石だたみの参道《さんどう》を通って、拝殿《はいでん》の前で足を止めると、さい銭箱《せんばこ》に五円玉を放《ほう》りこむ。

そして、目の前にぶら下がる太い麻縄《あさなわ》をつかむと、大きく息をすいこんで、力いっぱいふりまわした。

ガラン、ガラン、ガラン

予想以上に大きな鈴《すず》の音が、境内《けいだい》にひびきわたる。

すると、ぼくの後ろで、

「うひゃあっ!」

かん高い悲鳴とともに、ガサガサガサッと音がして、ドーンと地面がゆれた。

びっくりしてふりかえると、ご神木《しんぼく》の根元に、ぼくと同い年くらいの男の子が大の字になってたおれていた。

どうやら、いまの音におどろいて、木から落っこちたみたいだ。

ぼくがあわててかけよると、

「あいててて……」

白いランニングにベージュのハーフパンツをはいたその男の子は、頭の後ろに手をやりながら顔をゆがめて起きあがった。

「だいじょうぶ？」

ぼくがのぞきこむと、男の子はくるくると目を回して、

「あー、びっくりした」

と、つぶやいた。そして、ぼくを見て、

「ん？　見かけん顔やな」

と、いいながら、ぐいっと首をのばしてきた。

「先週、引っこしてきたんだ」

ぼくは思わず体をのけぞらせながらいった。

「何年生や？」

「五年生」

ぼくが答えると、男の子はパッと笑顔《えがお》になった。

「ほんまか。おれも五年生や。よろしくな」

「う、うん……」

ぼくがあいまいにうなずきかえして、拝殿《はいでん》にもどろうとすると、男の子もなぜかあとからついてきた。

「なんだよ」

ぼくがふりむくと、男の子はニヤニヤしながら、

「あれだけ激《はげ》しくふりまわすってことは、よっぽどかなえたい願《ねが》い事《ごと》があるんやな」

といった。

「べつにいいだろ」

ぼくは口をとがらせて、足をはやめた。だけど、

「なあ、ええこと教えたろか」

男の子はかまわずに、こちらの地方のイントネーションで話しかけてきた。

「この神社の名前、知ってるか？」

「七節《ななふし》神社だろ？」

「いまはたしかにそう呼《よ》ばれてるけど、昔は七不思議《ななふしぎ》神社って呼《よ》ばれてたんや」

「七不思議《ななふしぎ》神社？」

ぼくは足を止めて、ふりかえった。

「それって、トイレの花子さんとか、目が光るモナリザとか？」

「ちがうちがう」

男の子は顔の前でひらひらと手をふった。

「七不思議《ななふしぎ》ゆうても、学校の怪談《かいだん》のことやない。この町でじっさいに起きたといわれてる、本物の七不思議《ななふしぎ》のことや」

男の子によると、この町に伝わる七つの不思議《ふしぎ》を絵馬《えま》にかいて神社におさめると、願《ねが》いがかなうらしい。

「なんでもかなえてくれるの？」

ぼくはちょっと興味《きょうみ》が出てきて、男の子に聞いた。

「まあ、たいていのことやったらな。ただし――」

男の子はそこで言葉を切ると、うでを組んで続《つづ》けた。

「七不思議《ななふしぎ》だけに、絵馬《えま》をおさめるのは、七月七日やないと効《き》き目《め》がないんや」

「なーんだ」

それを聞いて、ぼくは一気に興味《きょうみ》がしぼんでいった。七月どころか、あと数日で八月も終わりなのだ。

「七月七日なんて、とっくに過《す》ぎちゃってるじゃないか」

ぼくが口をとがらせると、

「まあ、最後《さいご》まで聞けって」

男の子はニヤリと笑《わら》って、拝殿《はいでん》の横手から暦《こよみ》ののった小冊子《しょうさっし》を持ってきた。

「七月七日っていうのは旧暦《きゅうれき》の話や。これをいまの暦《こよみ》になおすと……」

旧暦《きゅうれき》というのは、江戸時代ぐらいまで使われていた古い暦《こよみ》のことだ。その年によって、だいぶ差《さ》があるけど、だいたい一、二ヶ月後ろにずれると聞いたことがある。

男の子はページをめくる手を止めると、ぼくの方に向けた。

それを見て、ぼくは目を丸くした。今年の場合、旧暦《きゅうれき》の七月七日というのは、まさに今日だったのだ。

ぼくがあっけにとられていると、男の子はつぎに拝殿《はいでん》で絵馬《えま》を買ってくるようにいった。

なんとなく、そのいきおいにおされて、ぼくは料金箱《りょうきんばこ》にお金をいれると、絵馬《えま》を一枚《まい》買った。

表には、前足を大きくあげた馬のイラストがかかれている。

「この絵馬《えま》の裏《うら》に、町に伝《つた》わるほんまもんの七不思議《ななふしぎ》をかいて、今日の陽が落ちるまでに神社におさめるんや」

「それで、きみは七不思議《ななふしぎ》を七つとも知ってるの？」

ぼくがたずねると、男の子はぐっと言葉につまって、頭をかいた。

「それが、三つか四つぐらいやったら、すぐに思いだせるんやけどなあ……」

ぼくはちょっとがっかりした。

七不思議《ななふしぎ》を集めたら願《ねが》いがかなうなんて、まさかとは思うけど、それでも心のどこかで、ひょっとしたらという気持ちがあったのだ。

そんなぼくの様子に気づいたのか、

「よかったら、いまからいっしょにさがしにいかへんか？」

男の子はそういって、ぼくのかたをたたいた。

「七不思議《ななふしぎ》を？」

「そうや。覚《おぼ》えてる話をたしかめていくうちに、残《のこ》りも思いだすかもしれへんし」

「そうだなあ……」

ぼくは男の子の顔をまじまじと見つめた。

初対面《しょたいめん》で、ちょっとなれなれしいところもあるけど、悪いやつではなさそうだ。どうせ予定があるわけでもないし、この機会《きかい》に町を探検《たんけん》するのもいいかもしれない。

「いいよ。いこう」

ぼくがうなずくと、男の子はうれしそうにパチンと手をたたいた。

「よっしゃ、決まりや。おれはタクミ。おまえは？」

男の子が名乗ったので、ぼくも「リク」と答えた。

「それじゃあ、リク。さっそく一つ目を教えたるわ」

そういうと、タクミは拝殿《はいでん》をはなれた。

参道《さんどう》の石だたみをはさむようにして、二匹《ひき》の狛犬《こまいぬ》が高さ一メートルくらいの台座《だいざ》の上にすわっている。

タクミはその足をぽんぽんとたたくと、

「一つ目は、この狛犬《こまいぬ》や」

といった。

「え？　これが？」

ぼくは左右に視線《しせん》を往復《おうふく》させた。

狛犬《こまいぬ》というのは、神社の入り口や拝殿《はいでん》の前に置《お》かれている、二匹《ひき》で一対の石像《せきぞう》で、
神社を守っていると聞いたことがある。

それが、どうして七不思議《ななふしぎ》になるんだろう……ぼくが首をひねっていると、

「この神社には、こんな話が伝《つた》わってるんや……」

タクミは、なれた口調《くちょう》で語りだした。

幸運の狛犬《こまいぬ》

七節《ななふし》神社の二匹《ひき》の狛犬《こまいぬ》には、あるいいつたえがあった。それは、

〈ふだんは一方が口を開けて、もう一方が口を閉《と》じているはずの狛犬《こまいぬ》が、二匹《ひき》とも口を開けているときがある〉

そして、

〈それを見た者には、幸運がおとずれる〉

と、いうものだった。

ある月のない夜のこと。

黒ずくめのかっこうをした一人の男が、人目をしのぶようにして、真夜中の七節《ななふし》神社にやってきた。

パトカーのサイレンの音が、大通りの方から近づいてくる。男は神社の裏手《うらて》に回ると、拝殿《はいでん》のゆかしたにもぐりこんで、息をひそめた。

男はドロボウだった。

あるお金持ちの家から、お金や宝石《ほうせき》をぬすんでにげてきたのだ。

男は長年まじめに働《はたら》いていたのだが、あるとき、知りあいにだまされて借金《しゃっきん》を背《せ》おうはめになった。その返済《へんさい》のためにぬすみにはいったことがきっかけで、ドロボウになってしまったのだった。

サイレンが遠ざかるのをたしかめると、男はゆかしたからはいだした。

おそらく、町中に非常線《ひじょうせん》が張《は》られているだろう。

だけど男はこの町の出身で、裏道《うらみち》にもくわしかったので、にげきれると思っていた。

拝殿《はいでん》の表に回って、小走りに立ちさろうとした男は、参道《さんどう》のとちゅうで、ふと何者かの視線《しせん》を感《かん》じて足を止めた。

ふりかえると、二匹《ひき》の狛犬《こまいぬ》が台座《だいざ》の上で、こちらを向いてすわっていた。

その顔を見て、男はおどろいた。

狛犬《こまいぬ》が、両方とも口を開けていたのだ。

男は子どものころ、信心深《しんじんぶか》いおばあちゃんに連《つ》れられて、よくこの神社にきては、あるいいつたえを聞かされていた。

二匹《ひき》とも口を開けた狛犬《こまいぬ》を見た者には幸運がおとずれる——。

「こりゃあ、幸先がいい。つかまらずに、にげきれるってことだな」

そうつぶやいた男の頭に、子どものころ狛犬《こまいぬ》の前でおばあちゃんと交わしたやりとりが、ふいによみがえってきた。

「幸運って、宝《たから》くじでもあたるんかな?」

おさない孫《まご》の言葉に、おばあちゃんはほほえみながら首をふったのだった。

「そんな降《ふ》ってわいたようなお金を手にいれても、幸せにはなれんよ。狛犬《こまいぬ》さんがくれる幸せは、もっと、お金では買われへんような、ええもんなんや」

男はなんとなく複雑《ふくざつ》な気持ちになって、狛犬《こまいぬ》に背《せ》を向けた。

そして、石段《いしだん》の方へ歩きだそうとした、そのとき――。

「ガルルルルッ！」

とつぜん、けもののうなり声が聞こえてきたかと思うと、

「痛《いた》いっ！」

足に激痛《げきつう》がはしって、男はその場にたおれた。

足元を見ると、さっきの狛犬《こまいぬ》が左足のふくらはぎにかみついている。

あまりの痛《いた》さに、おどろくこともわすれて、もう一方の足でけとばした。しかし相手は石なので、けとばした足がしびれるだけだ。

それでもなんとかふりほどいて、地面を転がりながらにげようとすると、

「グワォオオッ！」

もう一匹《びき》の狛犬《こまいぬ》が、口を大きく開けて背中《せなか》に飛《と》びのってきた。

「ぐえっ」

石でできている狛犬《こまいぬ》の重さに、体がつぶれそうになる。

力をふりしぼって、狛犬《こまいぬ》をおしのけた男は、鳥居《とりい》をくぐりぬけたところで、足がもつれて石段《いしだん》を転げおちた。

一時間後、男は身動きできずにうずくまっているところを、たいほされた。


それから数年後。

罪《つみ》をつぐなって刑務所《けいむしょ》を出た男は、ドロボウをすっぱりやめて、まじめに働《はたら》いていた。

男はときおり、ふと考えることがある。

あのときにげきってドロボウを続《つづ》けていたら、いまのようなおだやかな暮《く》らしはできなかっただろう。

口を開けた狛犬《こまいぬ》を目にした男には、やはり幸運がおとずれたのだ。

話を聞きおわって、ぼくはちょっと感心《かんしん》した。

たしかに、こわいというよりは不思議《ふしぎ》な話だ。

「おまえ、おっかない顔してるけど、けっこういいやつなんだな」

ぼくが話しかけながら、口を閉《と》じている方の狛犬《こまいぬ》の頭をなでると、そいつの目が
ギョロッと動いてぼくを見た。

え？ と思って手を引っこめると、狛犬《こまいぬ》は口を大きく開けて、

「ガウッ！」

と、ほえた。

「わあっ！」

ぼくはびっくりして、その場にしりもちをついた。

「そやから、ゆったやろ？ この町には、ほんまもんの七不思議《ななふしぎ》が伝《つた》わってるんや」

タクミがこしに手をあてて、じまんするようにいった。

「こんな話を、あと六つも集めないといけないの？」

ぼくはふるえる手で、なにごともなかったかのように口を閉《と》じてすましている狛犬《こまいぬ》

を指さした。

「こわくなってきたんか？」

タクミはニヤニヤ笑《わら》いながらいった。

「やっぱり、都会からきたもんは、根性《こんじょう》ないなあ」

その言葉にカチンときたぼくは、

「そんなことないよ」

そういうと、立ちあがってズボンの砂《すな》をはらった。

「ちょっとびっくりしただけだから」

「そしたら、つぎの不思議《ふしぎ》をたしかめにいくか？」

「もちろん」

ぼくはリュックからペンを取りだすと、絵馬《えま》の裏《うら》に〈口を開く狛犬《こまいぬ》〉とかいた。

「ほら、いくで」

タクミが石段《いしだん》に向かって歩きはじめる。あわてて追《お》いかけながら、鳥居《とりい》の手前でふりかえると、台座《だいざ》の上で狛犬《こまいぬ》たちが、大きく口を開けて笑《わら》っていた。

山からふきおろしてくる風が、青々《あおあお》とした田んぼを波打たせている。

神社の石段《いしだん》をおりて、でこぼこ道をならんで歩いていると、

「そういえば、さっきはなにをお願《ねが》いしようとしてたんや？」

タクミがぼくの顔をのぞきこむようにして聞いてきた。

「ひったくり犯《はん》がつかまりますように」

ぼくは前を向いたまま答えた。

「ひったくり？」

タクミの声が裏《うら》がえる。

ぼくは、この春に、ばあちゃんがひったくりの被害《ひがい》にあった話をした。

「そのときの犯人《はんにん》が、まだつかまってないんだ」

「そうか……」

タクミはいっしゅんまゆをひそめて、深刻《しんこく》な表情《ひょうじょう》を見せたけど、またすぐに笑顔《えがお》になった。

「だいじょうぶ。七不思議《ななふしぎ》をそろえたら、きっと願《ねが》いはかなうから」

「だったらいいけど……」

タクミの言葉に笑《え》みを返しながらも、ぼくは心の中では複雑《ふくざつ》な気持ちだった。

じつは、神社にきたのも、ひったくりの犯人《はんにん》をつかまえてほしいという願《ねが》いとともに、前の家に帰りたいという願《ねが》い事《ごと》をするためだった。

五年生の二学期なんて時期に転校してきて、学校になじめる気もしなかったし、前に住んでいたのは街《まち》なかのマンションで、夜になっても人通りがあって、家のまわりも明るかった。

だけど、こっちは店が閉《し》まるのもはやいし、夜になるとあたりは真っ暗で、虫やカエルの声しか聞こえない。

たまに遊びにくるにはいいところなんだけど、正直、ここでずっと暮《く》らしていく自《じ》信《しん》がなくなってきたのだ。

だけど、さすがに地元の子には、神社にそんなお願《ねが》いをしにきたとはいいづらかったので、ぼくはかわりに、

「タクミこそ、どうして木の上なんかにいたんだよ？」

と聞いてみた。

「ああ」

タクミは照《て》れたように頭をかいた。

「あそこはすずしいし、太い枝《えだ》もあるから、ひるねするのにちょうどいいんや」

「あんなところで?」

ぼくはびっくりした。木の上にのぼるだけでもこわいのに、枝《えだ》の上でひるねをするなんて、考えられない。

「気持ちええで。あとで、リクもねてみるか?」

タクミはそういって笑《わら》うと、小さな竹やぶの前で足を止めた。

「あった、あった。これが二つ目や」

タクミが指さしているのは、木製《もくせい》のほこらにはいったお地蔵《じぞう》さまだった。

高さは一メートルくらいだろうか。右手にぼうを持って、左手はおなかの前で、てのひらを上に向けている。

「これが七不思議《ななふしぎ》?」

どこが不思議《ふしぎ》なんだろう、と思っていると、

「このお地蔵《じぞう》さまは、『手招《てまね》き地蔵《じぞう》』って呼《よ》ばれてるんやけどな――」

タクミは声をひそめるようにして話しはじめた。

遠見峠《とおみとうげ》の手《て》招《まね》き地《じ》蔵《ぞう》

いまから十年くらい前の話。
町のはずれにある遠見峠《とおみとうげ》のカーブには〈手招《てまね》き地蔵《じぞう》〉と呼《よ》ばれるお地蔵《じぞう》さまが立っていた。
ふだんは右手にシャクジョウという名のぼうを持って、左手をおなかにあてているんだけど、夕暮《ゆうぐ》れどきにこのカーブを通りかかると、お地蔵《じぞう》さまが左手をあげて「おいでおいで」と手招《てまね》きすることがあるといわれていたのだ。

あるとき、一組のカップルが、うわさをたしかめようと遠見峠《とおみとうげ》にやってきた。

夕やみにつつまれた山道を、二人を乗せた車は快調《かいちょう》に走っていく。

やがて、問題のカーブにさしかかると、運転席《うんてんせき》の彼氏《かれし》はアクセルをゆるめて速度を落とした。ハンドルをしっかりとにぎりしめ、前方をじっと見つめる。

すると、ヘッドライトの光に照《て》らされて、ニタリと笑《わら》ったお地蔵《じぞう》さまの顔が山はだの前にうかびあがった。

その異様《いよう》な表情《ひょうじょう》に、二人が言葉を失《うしな》っていると、お地蔵《じぞう》さまの左手がゆっくりと持ちあがって、前後に大きくゆれた。

「おいで……おいで……」

どこからか、ひびわれたような声が聞こえてくる。

車はまるで引きよせられるように、お地蔵《じぞう》さまの方へとまっすぐ向かっていった。

「ちょっと！　なにしてるの！」

助手席《じょしゅせき》の彼女《かのじょ》がとなりを見ると、彼氏《かれし》はハンドルをにぎりしめたまま、ひたいにあせをうかべて、「うーん……うーん……」と、うなっている。

このままでは山に激《げき》とつしてしまうと思った彼女《かのじょ》は、とっさに助手席《じょしゅせき》から身を乗りだすと、ハンドルを回して思いきりブレーキをふみこんだ。

車はスピンしながら、反対車線に飛《と》びだして、ガードレールにぶつかった。そして、またはねかえって、山はだに車体をこすりつけ、ようやくとまることができた。

車はぼこぼこになってしまったけど、二人はさいわい、軽いけがだけですんだ。

あとで彼女《かのじょ》が、

「どうしてカーブを曲がろうとしなかったの？」

と、たずねると、

「お地蔵《じぞう》さまを見たとたん、手と足が、まるで石になったみたいに動かなくなったんだ」

彼氏《かれし》はそう答えたということだった。

「――その後も、似《に》たような事故《じこ》が何度も続《つづ》くから、町はお地蔵《じぞう》さまをどうにかしようとしたんやけど、こわしたり捨《す》てたりしたら、たたられそうでこわいやろ？　それで、あんまり車が通らへん、この竹やぶに移《うつ》すことにしたんや」

タクミが話しおわると、ぼくは背《せ》のびをしてあたりに目をやった。

見わたすかぎり、田んぼと畑が広がっていて、道も細いので、車どころか自転車もほとんど通らなさそうだ。

「ここやったら、手招《てまね》きされても、たいした事故《じこ》にはならへんしな」

手でひさしをつくって、遠くの方を見ながらタクミはいった。

「だったら、いっそのこと、人のこない山おくにでも置《お》いてくればよかったのに」

「はじめはそうしてたらしいで」

タクミはかたをすくめていった。

「そやけど、人がだれもこないとこに置《お》いたら、いつのまにかまた元の山道にもどってしまうんやって」

そこで、人は通るけど車の通らない、この道ぞいに移動《いどう》したところ、やっと動かなくなったのだそうだ。

ちなみに、このお地蔵《じぞう》さまをだれがいつ、なんのためにつくったのかは、いくら調べてもわからなかったらしい。

「ふーん……」

ぼくはお地蔵《じぞう》さまをもう一度、じっくりと観察《かんさつ》した。

だけど、だまっておだやかなほほえみをうかべているだけで、手招《てまね》きしそうな気配《けはい》はない。

「それじゃあ、つぎにいこうぜ」

タクミがさっさと歩きだしたので、

「あ、うん」

ぼくは絵馬《えま》に〈手招《てまね》き地蔵《じぞう》〉とかきこむと、タクミのあとを追《お》った。

少しはなれてからふりかえると、お地蔵《じぞう》さまはほほえんだまま、左手をかたの高さまであげて、「またね」というように左右にゆらしていた。

竹やぶの前を通りすぎると、道はゆるやかなくだり坂になった。

セミの声は少し遠くなったけど、さえぎるものがない分、強い陽ざしがまっすぐにふりそそいでくる。

「ねえ。さっきから気になってたんだけど……」

かたをならべて歩きながら、ぼくはタクミに声をかけた。

「旧暦《きゅうれき》を使ってるっていうことは、絵馬《えま》のいいつたえは江戸時代よりも前からあるんだよね？　それなのにパトカーとか車とか、最近《さいきん》の話がどうして七不思議《ななふしぎ》にはいってるの？」

「それはな……」

タクミがいうには、町の七不思議《ななふしぎ》は、少しずついれかわっているのだそうだ。

どういうことだろう、と首をひねるぼくに、

「ほら、おかしなことが起こる家が建《た》てかえられたり、ゆうれいが成仏《じょうぶつ》したりしたら、不思議《ふしぎ》やなくなることもあるやろ？」

タクミはそういって笑《わら》った。

たしかに、何百年もたてば町の様子もずいぶん変《か》わるから、現役《げんえき》の七不思議《ななふしぎ》もそれにつれて変化《へんか》していくのだろう。

「でも、それじゃあ、いまはなにが七不思議《ななふしぎ》なのか、わからないじゃないか」

ぼくがいうと、

「だいじょうぶ。それは絵馬《えま》が判断《はんだん》してくれるから」

タクミはあっさりといった。

この絵馬《えま》に七不思議《ななふしぎ》ではないできごとをかいても、すぐに消えてしまうのだそうだ。

とても信《しん》じられない話だけど、それをいったら、ほえる狛犬《こまいぬ》も、手をふるお地蔵《じぞう》さまも、自分の目で見ていなければ、同じくらい信じられない。

とにかく、全部集めるまでは、タクミに付きあってみよう――そう決心して、ふたたび歩きだしたぼくは、

「この町の人って、みんなこんな感《かん》じなの？」

とタクミに聞いてみた。

「こんな感《かん》じって？」

「だって、狛犬《こまいぬ》がほえるのを見ても、あんまりおどろいてないから……」

ここに住んだら、だんだんなれていくのかな、と思っていると、

「おれは変《か》わってるから」

タクミはそういって、頭をかいた。

家が神社のすぐ近くにあるので、小さいころから、よく境内《けいだい》に出入りしていたらしい。

神主《かんぬし》さんとも仲《なか》がよくて、いいつたえや町の歴史《れきし》なんかにもくわしいし、狛犬《こまいぬ》が動くところも、一度だけ見たことがあるのだそうだ。

「まあ、そのときは目をギョロッと動かしただけやったから、さっきほえたときは、おれもおどろいたけどな」

と、タクミはいった。

「そういえば、タクミにはなにか、かなえたい願《ねが》い事《ごと》はないの？」

ぼくがたずねると、

「そうやなあ」

タクミは頭の後ろで手を組んで、空を見あげた。

くっきりとした青い空には、綿《わた》をちぎったような白い雲がぷかぷかとうかんでいる。

「まあ、七つ集まったら、そのときに考えるわ」

「あと五つか……」

ぼくは絵《え》馬《ま》を見ながらつぶやいた。

「七つ集まったとして、かなえられる願《ねが》い事《ごと》は、ひとつだけなのかな？」

「ためしてみたらええんとちゃうか？」

タクミはのんびりとした口調《くちょう》でいった。

「七つそろったら、一つでも二つでも、たのんでみたらええやん。たのむのはただやで」

そういって、ニカッと笑《わら》うタクミの顔に、ぼくもつられてニカッと笑《わら》いかえした。

ぼくたちがつぎにやってきたのは、月森川《つきもりがわ》だった。町のはずれを流れる大きな川で、その広い水面《みなも》が、太陽の陽ざしをキラキラと反射《はんしゃ》している。

土手にのぼって、背《せ》の高い草が生いしげる川原をのぞきこむと、小学生くらいの男の子たちが、つり道具を手にひとかたまりになっているのが見えた。

「あれ？」

その中に、見覚えのある顔を見つけて、身を乗りだしたぼくは、

「うわぁっ！」

草に足をすべらせて、そのままのいきおいで川原まで一気に転げおちた。

「いってぇ……」

こしをおさえながら顔をあげると、さっきの男の子たちが、あきれたようなおどろいたような顔で、ぼくを囲《かこ》んで見おろしていた。

その中でも、ひときわ体の大きな子が、ぼくの顔をじろじろ見つめて口を開いた。

「……もしかして、リクか？」

「やっぱり……シンちゃんだよね？」

「おう、ひさしぶりやな」

ぼくの言葉に、シンちゃんは真っ黒に日焼《ひや》けした顔で笑《わら》ってうなずいた。

シンちゃんとは、じいちゃん同士《どうし》の仲《なか》がよくて、小さいころはいっしょによく遊んだんだけど、ぼくのじいちゃんが亡《な》くなってからは会う機会《きかい》がすっかりなくなって、顔を合わせるのは三、四年ぶりだった。

同じ五年生のはずなのに、ぼくよりも頭ひとつ大きいシンちゃんは、ぼくとほかのみんなをたがいに紹介《しょうかい》すると、

「そういえば、ばあちゃんは大変《たいへん》やったな」

そういって、まゆを寄《よ》せた。

たぶん、おじいちゃんから聞いたのだろう。

「うん……」

ぼくはうなずいて、引っこしてくることになった事情《じじょう》を、かんたんに説明《せつめい》した。

「そうか、転校してくるんか」

シンちゃんはおどろきながらも、ぼくの転校をよろこんでくれた。

七節《ななふし》小学校は一学年に一クラスしかないので、ぼくとシンちゃんは自動的に同じクラスになるらしい。

「それで、今日はなにしてたんや？」

シンちゃんに聞かれて、土手の上をふりかえったぼくは、いつのまにかタクミのすがたが消えていることに気がついた。

お昼が近いから帰ったのかもしれないけど、だまっていなくなるなんて――と、ぼくが首をひねっていると、

「あれ？　それって、七節《ななふし》神社の絵馬《えま》？」

さっき紹介《しょうかい》されたばかりの四年生のカズヤが、ぼくの手元を指さしていった。

そういえば、絵馬《えま》を手にしたままだった。

「うん、じつは……」

ぼくが、この町に伝わる七不思議《ななふしぎ》を集めていると話すと、

「もしかして、願《ねが》い事《ごと》がかなうってやつか？」

シンちゃんがちょっとおどろいたようにいった。

「そやけど、あれって七月七日やないと、あかんのやろ？」

「それが、今日が旧暦《きゅうれき》の七月七日にあたるんだって」

ぼくが説明《せつめい》すると、

「へーえ、そうなんや」

シンちゃんは、感心《かんしん》した様子で目を見開いて、

「リク、もしかしていいつたえを信《しん》じてるんか？」

と、聞いてきた。

ぼくはいっしゅん言葉につまって、

「そういうわけじゃないけど、せっかく引っこしてきたんだから、ついでにあちこち回ってみようかなと思って……」

「ああ、なるほどな」

ぼくの答えに、シンちゃんは納得《なっとく》したようにうなずいた。そして、

「ここにきたっていうことは、月森川《つきもりがわ》に関係《かんけい》した怪談《かいだん》をさがしてるんやな？」

といった。

「うん、まあ……」

ぼくもタクミに連《つ》れられてきただけなので、ここにどんな不思議《ふしぎ》が伝《つた》わっているのかはわからない。

するとシンちゃんが、

「不思議《ふしぎ》な話って、もしかして、あれのことかな……」

とつぶやいた。

「知ってるの?」

「だいぶ前に、じいちゃんから聞いたんやけど……」

シンちゃんは、少し上流にかかっている灰色《はいいろ》の橋を指さしながら話しはじめた。

「あの橋、水照橋《すいしょうばし》ってゆって、いまはコンクリートやけど、昔は木製《もくせい》やったんや。そのころの話なんやけどな……」

水《すい》照《しょう》橋《ばし》の赤んぼう

まだ街灯《がいとう》もなかった時代のこと。

陽が落ちて、暗くなりはじめた水照橋《すいしょうばし》を、ひとりの商人がわたっていると、

「すみません」

中ほどで、か細い声に呼《よ》びとめられた。

足を止めてふりかえると、らんかんに寄《よ》りかかるようにして、赤んぼうをだいた女の人が立っている。

「どうしました?」

商人が親切に声をかけると、

「くしを落としてしまったので、さがしている間、この子をだいてやってもらえませんか?」

女の人はそういって、赤んぼうを差《さ》しだした。

「ああ、いいですよ」

商人は軽い気持ちで、赤んぼうを受けとった。

女の人は頭をさげると、足元に視線《しせん》を落としながら、ふらりとその場をはなれた。

白い布《ぬの》にくるまれた赤んぼうは、はじめは静《しず》かにねむっていたが、やがて目を覚《さ》ますと、声をあげて泣《な》きはじめた。

ゥンギャア、ゥンギャア……

商人が左右にゆらしてあやしても、赤んぼうは泣《な》きやむどころか、だんだん声が大きくなっていく。

しかも、どういうわけか、赤んぼうの体がどんどん重くなってくる。

助けを求《もと》めてあたりを見まわしても、さっきの女の人のすがたは、どこにも見あたらなかった。

支《ささ》えきれなくなって、商人が赤んぼうを足元におろそうとすると、

「おい……」

すぐそばから、しわがれたような低《ひく》い声が聞こえてきた。

陽はさらに落ちて、暗やみにつつまれた橋の上に、人かげはない。

商人は赤んぼうを見て、ハッとした。

さっきまで、生まれたてのような顔をしていた赤んぼうが、年老《としお》いた男の顔になって商人をキッとにらみつけると、低《ひく》い声でこういったのだ。

「おろすなよ」

とたんに、赤んぼうの体が一気に重くなった――。

翌朝《よくあさ》、商人は橋の上で気を失《うしな》ってたおれているところを発見された。

それ以来《いらい》、陽が落ちてから、この橋をわたろうとする者はいなくなった。


ところが、その話を耳にした力じまんのひとりの男が、

「だったら、おれがその赤んぼうをだいてやろう」

といって、わざわざ陽が暮《く》れてから、水照橋《すいしょうばし》にやってきた。

男がわたろうとすると、橋の中ほどで、赤んぼうをだいた女の人があらわれて、男に声をかけた。

「すみません。くしを落としてしまったので、さがしている間、この子をだいてやってもらえませんか？」

「ああ、いいぞ」

男は赤んぼうをだくと、左右にゆらしてあやしはじめた。

しばらくすると、うわさどおりに赤んぼうが泣《な》きだして、どんどん重くなっていったが、男は平気な顔であやしつづけた。

すると、赤んぼうはさらに重くなった。

それでも男は、うでにぐっと力をこめると、しっかりとふんばってだきつづけた。

やがて、一番どりの鳴き声がして、朝陽が橋を照《て》らしだすと、赤んぼうがふっと泣《な》きやんだ。

「ありがとうございました」

男の耳元で、女の人の声がする。

「おかげさまで、成仏《じょうぶつ》できます」

ふりかえると、だれもいない。

男がだいていた白い布《ぬの》を開けると、中に赤んぼうのすがたはなく、たくさんの小判《こばん》がずっしりとつまっていたということだ。

「男はそのおかげで大金持ちになったらしいで」

シンちゃんはそんなふうに話をしめくくった。

「その女の人って、何者だったのかな」

ぼくのつぶやきに、シンちゃんが、

「神さまやったんとちがうか」

と答えた。

「神さま?」

「うん。ほら、昔話とかでよくあるやろ?　神さまが人間をためして、クリアした人だけが、ごほうびをもらえるねん」

タクミがぼくに教えようとしていたのは、この話だったのかな、と思っていると、

「あ、そうや」

カズヤが声をあげた。

「前に、塾《じゅく》の先生から、こんな話を聞いたことあるんやけど……」

月《つき》森《もり》川《がわ》の足音

いまから二十年以上《いじょう》前の話。

男子大学生のグループが、月森川《つきもりがわ》の上流で、テントを張《は》ってキャンプをしていた。

晩《ばん》ごはんをすませて、あと片《かた》づけを終えたころには、すっかり夜はふけ、あたりは暗やみにつつまれていた。

木々の葉が風にゆれ、川の流れる音が昼間よりも大きく聞こえる。

そんなふんいきの中、テントにもどって、おしゃべりをしているうちに、だれからともなく怪談話《かいだんばなし》がはじまった。

「これは、おれが中学生のときの話なんだけど、おれが通ってた学校には、理科室の人体模型《じんたいもけい》が夜になると動きだすっていううわさがあって……」

「おれがバイトしてるカラオケ屋で、だれもいない部屋から呼《よ》びだしの電話がかかってくるんだけど……」

それぞれが、自分の知っている怪談《かいだん》を話しはじめて、一時間ほどがたったころ、

「なあ……さっきから、なにか聞こえないか?」

テントの入り口のそばにすわっていた男が、みんなの顔を見まわしながら、ぽつりといった。

「おいおい、そういうのはやめようぜ」

「おどかすなよ」

ほかのみんなが笑《わら》いながらも、耳をすませると、
ピチャ……ピチャ……ジャリ……ピチャ……

虫の声や木々のざわめきに混《ま》じって、テントのまわりから、たしかに音が聞こえてきた。それはまるで、川からあがってきた何者かが、水《すい》てきをたらしながら、テントのまわりを歩いているような音だった。

みんなの顔がいっせいに青ざめる。

すると、雲がとぎれたのか、月明かりがサッとさしこんで、外にいる者のかげが、テントにはっきりとうつった。

身長は一メートルと少しくらいで、うでがひょろりと細長い。

そして、頭の上にはお皿のようなひらべったいかげが……。

ジャリ、ピチャ、ジャリ、ピチャ……

みんなが声もなく、そのかげを見つめていると、ジャッ、ジャッ、ピチャッ、ジャッ、ジャッ、ジャッ、ピチャッ……

かげはじょじょに速度を増《ま》して、テントのまわりをぐるぐると走りだした。

男たちはテントの中央で、ふるえながら身を寄《よ》せあった。

明け方になって、ようやく音が聞こえなくなってから、男たちが外に出てみると、テントのまわりが水びたしになっていたそうだ。

「——あとでわかったんやけど、この川にはこわい話が好《す》きな河童《かっぱ》が住んでるらしくて、そいつが怪談《かいだん》につられてやってきたんちゃうかって……」

カズヤはそういって話をしめくくった。

「それじゃあ、いまも聞きにきてるかもな」

シンちゃんが笑《わら》っていったとき、

「きてるよ」

川の方から、子どものようなかん高い声が聞こえてきた。

ぼくたちがいっせいに顔を向けると、背《せ》の高い草の間から、頭にお皿をのせた緑色の生きものが、こちらをじっと見つめていた。

「河童《かっぱ》だ！」

三年生のコウキがさけんだ。

「ねえ……こわい話、もっと聞かせて」

河童《かっぱ》が草をかきわけるようにして、ぼくたちの方へと近づいてくる。

「うわぁっ！」

ぼくたちは悲鳴をあげて、土手の方へとにげだした。

ところが、川の一番近くにいた二年生のヒデヨシが、にげおくれてしまった。

どうやら、こわくて足が動かないみたいだ。

「助けてっ！」

ぼくはとっさにかけもどって、泣《な》きそうな顔で悲鳴をあげるヒデヨシの手をつかんで走りだした。

ところが、なにかに足を取られて、ぼくは前のめりに川原にたおれこんだ。

足元を見ると、河童《かっぱ》の緑色の手がスルスルとのびて、足首をガシッとつかんでいる。

ぼくが立ちあがろうとしていると、

「リク、はやく！」

シンちゃんがヒデヨシの背中《せなか》をおしながら、ぼくの手を引っぱった。

ぼくはなんとか河童《かっぱ》をふりはらって、シンちゃんともつれあうように、一気に土手の上までかけあがった。

「ハァ……ハァ……」

ひざに手をついて、息を切らしていると、

「あー、びっくりした」

シンちゃんが胸《むね》をそらして、大きな声をあげた。

「河童《かっぱ》って、ほんまにおるんやな」

「シンちゃんも、はじめて見るの？」

「母ちゃんは、小さいときに見たことあるとかゆってたけどな……なんかのまちがいやと思てたわ」

「お兄ちゃん、ありがとう」

ヒデヨシが泣《な》きながら、ぼくの前に立ってぴょこんと頭をさげる。

「だいじょうぶか？」

ぼくがヒデヨシの頭に手を置《お》いたとき、

「もっと聞かせてよ……」

か細い声が、風に乗って川の方から流れてきた。

ぼくたちがいっせいに顔を向けると、川のそばの草がざわざわとゆれて、なにかが飛《と》びこんだように、パシャンと水音がした。

「まあ、どうしたの」

どろだらけになって帰ってきたぼくを見て、母さんは目を丸くした。

「ちょっと、川原でころんじゃって……」

「とにかく服をぬいで、ついでにシャワーを浴《あ》びてきなさい。お昼ごはんもできてるから」

「はーい」

シャワーを浴《あ》びてあせを流しながら、ぼくは今日出あった七節町《ななふしちょう》の不思議《ふしぎ》たちのことを思いかえした。

ほえる狛犬《こまいぬ》に、手をふる地蔵《じぞう》、そして怪談好《かいだんず》きの河童《かっぱ》。落ちついて考えてみると、どれも本当にあったこととは思えない。

こんな土地で、これから暮《く》らしていけるのかな——不安な気持ちのまま、新しい服に着がえて、居間《いま》でそうめんをすっていると、

「おかえり、リク。神社にいってきたか？」

ばあちゃんがそういって、向かいにすわった。

もうすぐ七十歳《さい》になるけど、いつも背《せ》すじがまっすぐのびている。入院している間は、さすがに元気がなかったけど、いまではすっかりいつものばあちゃんだった。

「ねえ、ばあちゃん」

「ん？」

「あの神社、七不思議《ななふしぎ》神社って呼《よ》ばれてるんだってね」

「そうやで」

ばあちゃんは目を細めてうなずいた。

「七節町《ななふしちょう》は、もともと七不思議町《ななふしぎちょう》とも呼《よ》ばれとったからな。昔から、不思議《ふしぎ》が多い町なんや」

「へーえ」

それは知らなかった。

「七不思議《ななふしぎ》を集めてるんか？」

ばあちゃんは、麦茶のコップに手をのばしながらいった。

「うん」

「それで、集まりそうか？」

ばあちゃんに聞かれて、ぼくは首を横にふった。

「それが、まだ三つしか見つかってないんだ」

いまのところ、絵馬《えま》の裏《うら》にかきこめたのは、〈口を開く狛犬《こまいぬ》〉と〈手招《てまね》き地蔵《じぞう》〉、そして〈怪談好《かいだんず》きの河童《かっぱ》〉の三つだけだった。

〈水照橋《すいしょうばし》の赤んぼう〉は、何度かいても絵馬《えま》から文字が消えてしまい、かきこめなかったのだ。

インクは切れてなかったから、たぶんこれが、タクミのいっていた「絵馬《えま》が判断《はんだん》する」というやつなのだろう。

「ばあちゃんは、なにか知らない？」

ぼくがたずねると、

「そうやなあ……」

ばあちゃんは、しばらく遠くを見ながら考えていたけど、

「あれが七不思議《ななふしぎ》かどうかはわからんけど、ばあちゃんが子どものころに、ちょっと不思議《ふしぎ》なことがあったなあ」

そういって、視線《しせん》をぼくにもどした。

「リクは拍子木《ひょうしぎ》って知ってるか？」

「拍子木《ひょうしぎ》？」

ぼくが首をかしげると、

「打ちならして拍子《ひょうし》を取る、四角い木のぼうのことや」

ばあちゃんは、左右の手をにぎって、顔の前で打ちならすようなしぐさをした。

「あれは、ばあちゃんがまだ七つか八つのときのことやった。最近《さいきん》はやってないけど、そのころは、年《とし》の瀬《せ》になると拍子木《ひょうしぎ》を鳴らしながら、火の用心を呼《よ》びかけて夜回りをしとったんや……」

神さまの拍子木《ひょうしぎ》

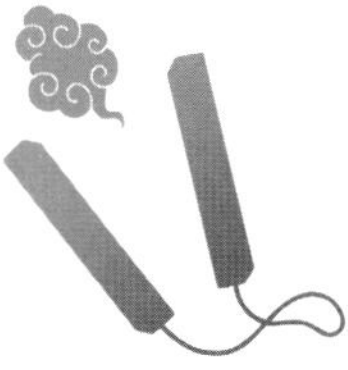

「火の～よう～じん」
よく通る大きな声に続《つづ》いて、
カチ、カチ
拍子木《ひょうしぎ》を打つ音が、キンと冷《ひ》えた夜の空気にひびきわたった。

七節町《ななふしちょう》では毎年十二月の終わりになると、消防団《しょうぼうだん》と町内会の有志《ゆうし》が集まって、火の用心を呼《よ》びかけながら夜回りをするのが伝統《でんとう》だった。

そのころ、ばあちゃんの近所には、さきちゃんという同い年の女の子が住んでいた。

ばあちゃんとさきちゃんは、親が町内会の役員をしていたこともあって、夜回りの季節《きせつ》になると、いつもいっしょに参加《さんか》していた。

ふだんなら、もうねないといけない時間でも、このときだけは、友だちと夜の町をどうどうと歩ける。それが楽しくて、二人は冷《つめ》たい北風をものともせずに、元気について回っていた。

そんなある日のこと。

いつものようにみんなで歩いていると、

「ちょっと、鳴らしてみるか?」

消防団《しょうぼうだん》のおじさんがそういって、拍子木《ひょうしぎ》をばあちゃんにわたした。

「いいの?」

ばあちゃんは、見よう見まねで、カチ、カチと打ちならすと、大きく息をすって思いきり声をはりあげた。

「火の～よう～じん」

「おお、じょうずじょうず」

おじさんたちが、ニコニコしながら手をたたいてほめる。それを見て、

「わたしもやりたい」

さきちゃんも、ばあちゃんから拍子木《ひょうしぎ》を受けとると、カチ、カチと鳴らして、うたうようにいった。

「火の～よう～じん」

さきちゃんの声が、夜の町にひびいて消えていく。

もう一度鳴らそうと、拍子木《ひょうしぎ》をかまえたさきちゃんは、

「あれ？」

と動きを止めて、自分の手元をじっと見つめた。

「え？　どうして？」

ばあちゃんも、となりで声をあげる。

火の用心
火の用心
火の用心

二本の拍子木《ひょうしぎ》の間から、細くて白いけむりがスーッとのぼっていったのだ。

しかも、けむりは意思を持った生きもののように、風に逆《さか》らって、ある方向へと流れていく。

みんながあぜんとして、その様子を見つめていると、消防団《しょうぼうだん》の団長《だんちょう》が、

「これはいかん」

といって、けむりの流れる先に走りだした。

ばあちゃんたちも、あわててあとを追《お》う。

そして、たどりついた先で、びっくりして立ちどまった。

そこは、さきちゃんの家の前だったのだ。

拍子木《ひょうしぎ》のけむりは二階の窓《まど》を通りぬけるようにして、家の中にすいこまれていく。

団長《だんちょう》は打ちやぶりそうないきおいでドアをたたくと、家に飛《と》びこんでいった。

見あげると、二階の寝室《しんしつ》では小さなほのおがあがっていた。

ねる前に部屋をあたためようと、お母さんが点けておいたストーブの火が、近くにあった布団《ふとん》に燃《も》えうつってしまったのだ。

この日はお父さんはまだ仕事から帰っていなかったし、お母さんは台所にいて気づかなかったので、あと少しおくれたら大変《たいへん》なことになるところだった。

消火を終えた家の前で、

「あのけむりはなんだったんだろうね」

ばあちゃんとさきちゃんが話していると、団長《だんちょう》がやってきて、

「神さまが教えてくれたんや」

そういって笑《わら》った。

「拍子木《ひょうしぎ》は、もともと神社からお借《か》りしたもんやからな。神さまが見守ってくれてたんやろ」

話しおわると、ばあちゃんはまた目を細めた。

「拍子木《ひょうしぎ》のけむりか……」

たしかに不思議《ふしぎ》な話だけど、これが町の七不思議《ななふしぎ》にはいるかどうかは、びみょうな

ところだ。

ばあちゃんも、それはわかっていたのだろう。

「まあ、ばあちゃんとさきちゃんの思い出やから、リクがさがしてる七不思議《ななふしぎ》とは、ちょっとちがうかもしれへんけどな」

麦茶を飲みながら笑《わら》った。

「ほかにはなにかないの？」

「そうやなあ……」

ばあちゃんは、また天井《てんじょう》を見あげると、

「あ、そうや」

顔をもどして、手をたたいた。

「神社といえば、あそこのご神木《しんぼく》にのぼったら神隠《かみかく》しにあう、っていういいつたえがあったわ」

「神隠《かみかく》し？」

「知らんか？　神さまに連《つ》れていかれたみたいにして、人が急に消えてしまうことや」

「神隠《かみかく》しにあった人は、どうなるの？」

「そのまま消えてしまう人もおれば、二、三日してから、思いがけない場所でひょっこり見つかる人もおる。中には、何十年もたってから、神隠《かみかく》しにあったときのすがたのまんまでもどってきた人もおったらしい」

「へーえ」

その間、いったいどこにいたんだろう、とぼくが思っていると、

「ばあちゃんが三年生のときに、神社でかくれんぼをしとった男の子が神隠《かみかく》しにあって、大さわぎになったことがあったんや」

ばあちゃんは、昔をなつかしむように話を続《つづ》けた。

「そうなの？」

ぼくは身を乗りだした。ばあちゃんはうなずいて、

「消えたのは、ちょうどリクとおんなじ五年生で、木のぼりのじょうずな子やった。タクちゃんって呼《よ》ばれとったから、たしか……タクジとかタクミとか、そんな名前や

なかったかなあ……」

「え」

ぼくはドキリとした。

「それで……その子はどうなったの？」

「さあなあ」

ばあちゃんは首をひねった。

「ばあちゃんも、学年がちごたし、あとから聞いた話やったから……あ、そうや」

ばあちゃんはこしをあげて部屋から出ていくと、しばらくして、古いアルバムを手にもどってきた。

そして、中を開いて、一枚《まい》の写真を指さした。

「これが、夜回りのときにとった写真や。これがばあちゃんで、これがさきちゃん……この、はしっこにうつってるのが、その神隠《かみかく》しにおうた男の子や。昔のことやから、もし生きてたら、もう孫《まご》もおるような年になってるやろうなあ……」

ばあちゃんが指さす前から、ぼくの目は、ひとりの男の子にくぎづけになっていた。

白黒の写真のはしっこで、
タクミと同じ顔が
満面《まんめん》の笑《え》みをうかべていた。

火の用心
火の用心
火の用心
火の用心

昼ごはんを食べて、ひと休みをすると、ぼくはまた不思議《ふしぎ》を集めるために町に出た。

けっきょく、拍子木《ひょうしぎ》の話は絵馬《えま》から消えてしまったので、七不思議《ななふしぎ》まではあと四つのままだ。

頭上には青空が広がっているけど、山の向こうから、白い雲がにょきにょきと顔を出しはじめている。

夕立になるかもしれないな——。

白い雲を見あげながら、ぼくはタクミのことを考えた。

神社で出あったとき、タクミはご神木《しんぼく》の上でひるねをしてたといっていた。

だけど、いったいいつからひるねをしていたのだろう。

もしかしたら、何十年も前から……。

とりあえず、神社にいけばタクミに会えるかもしれない。

朝と同じ道を歩いていると、とちゅうで小さなだがし屋を見つけた。

十円単位《たんい》のおかしや、小さなおもちゃが店先にならんでいる。店の前には木製《もくせい》のベンチが置いてあって、買ったものをここで食べてもいいみたいだ。

まだ十分も歩いていないのに、体中《からだじゅう》が熱気《ねっき》につつまれていたぼくは、ふらふらっと立ちよると、ソーダ味のアイスを買ってベンチにこしかけた。

セミの声がいつのまにか聞こえなくなって、そのかわり、どこか遠くで鳥が鳴いている。

ぼくが半分くらい食べたところで、とつぜん目の前にかげがさした。

顔をあげると、髪《かみ》の長い女の子が、ラムネのビンを手にして立っていた。

「もしかして、リクくん？」

「そうだけど……」

だれだろう、とぼくが首をかしげていると、

「さっきは、弟を助けてくれてありがとう」

女の子はニコッと笑《わら》ってとなりにすわった。

「弟？」

「うん。ヒデヨシっていうんだけど……」

「ああ」

さっき、川原でにげおくれた男の子だ。

女の子はヒデヨシのお姉さんで、ソラと名乗った。

ぼくやシンちゃんと同じ五年生で、三年前に七節町《ななふしちょう》に引っこしてきたのだそうだ。

「七不思議《ななふしぎ》をさがしてるんだって？」

ソラは、好奇心《こうきしん》に目をかがやかせながら聞いてきた。

「うん。なにか知ってる？」

ソラは、しばらく首をかしげて考えていたけど、

「この道をまっすぐいったところに、お寺があるんだけどね。そのお寺の裏手《うらて》に、三年坂っていう名前の、長い坂があるの」

そういうと、ラムネをひと口飲んでから、話しはじめた。

三年坂のおばけ

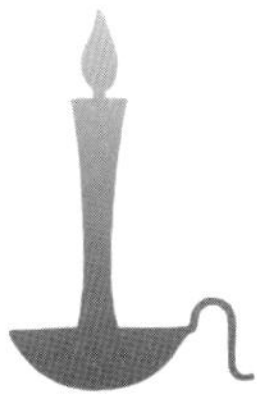

昔々の話。
夜おそくに、ひとりのお坊《ぼう》さんが、寺に帰るため、ちょうちんで足元を照《て》らしながら三年坂をくだっていた。
すると、坂のとちゅうで、道のはしにしゃがみこんでいる女の人を見つけた。
「もし、だいじょうぶですか?」

具合でも悪いのかと、心配したお坊《ぼう》さんが声をかけると、

「すこし気分が……」

女の人は消えいるような声で答えた。

「よろしければ、おうちまでお送りしましょうか？」

お坊《ぼう》さんがそういって、女の人のかたに手をかける。

「それはありがとうございます」

ふりむいたその顔を見て、

「ひゃあっ！」

お坊《ぼう》さんは悲鳴をあげて飛《と》びあがった。

女の人の顔は、目も鼻も口もない、むきたてのゆで卵《たまご》のようにつるんとした、のっぺらぼうだったのだ。

転がるようにして坂をおりると、お坊《ぼう》さんはそのままお寺にかけこんだ。

「そんなにあわてて、どうされたんですか？」

出むかえた小坊主《こぼうず》に、

「い、いま、そ、そ、そこで……」

お坊《ぼう》さんは息もたえだえに伝《つた》えようとした。

しかし、言葉につまってしまい、

「ああ、おそろしい。とても口には出せない」

そういって首をふると、

「ひょっとして、そこにいたのは、こんな人でしたか？」

小坊主《こぼうず》は、自分の顔をつるんとなでた。

あらわれたのは、さっきと同じのっぺらぼう。

お坊《ぼう》さんはまたまた飛《と》びあがって、本堂《ほんどう》にかけあがった。

そして、ガタガタふるえながら、手を合わせて、ご本尊《ほんぞん》を見あげると……。

「そのご本尊《ほんぞん》も、のっぺらぼうだったっていうんだろ？」
ソラには悪いけど、ぼくはオチを先にいって、アイスの最後《さいご》のひと口を食べた。

中身はちょっとちがうけど、有名な怪談《かいだん》だ。

「それがね……この話は、ここで終わりじゃないのよ」

ソラは、フフッと笑《わら》って顔をそむけると、

「この話をしていると、自分も
のっぺらぼうになっちゃうの」

そういいながら、パッとこっちを向いた。

それを見て、ぼくは
「うわあっ！」

と悲鳴をあげた。

その顔は、目も鼻も口もない、
のっぺらぼうだったのだ。

ベンチからすべり落ちそうになっているぼくを見て、ソラが口のない顔でクスクスと笑《わら》いだす。

ぼくがあっけにとられているとソラは、

「びっくりした？」

といいながら、お面をはずした。

よく見ると、ソラの後ろには店のけん玉やお手玉がならんでいて、その中に、のっぺらぼうのお面も置《お》いてあった。

「ひどいなあ」

ぼくが体を持ちあげてすわりなおすと、

「ごめんごめん」

ソラはまだクスクスと笑《わら》いながら、顔の前で手を合わせた。

「おわびに、本当に不思議《ふしぎ》な話を教えてあげるね」

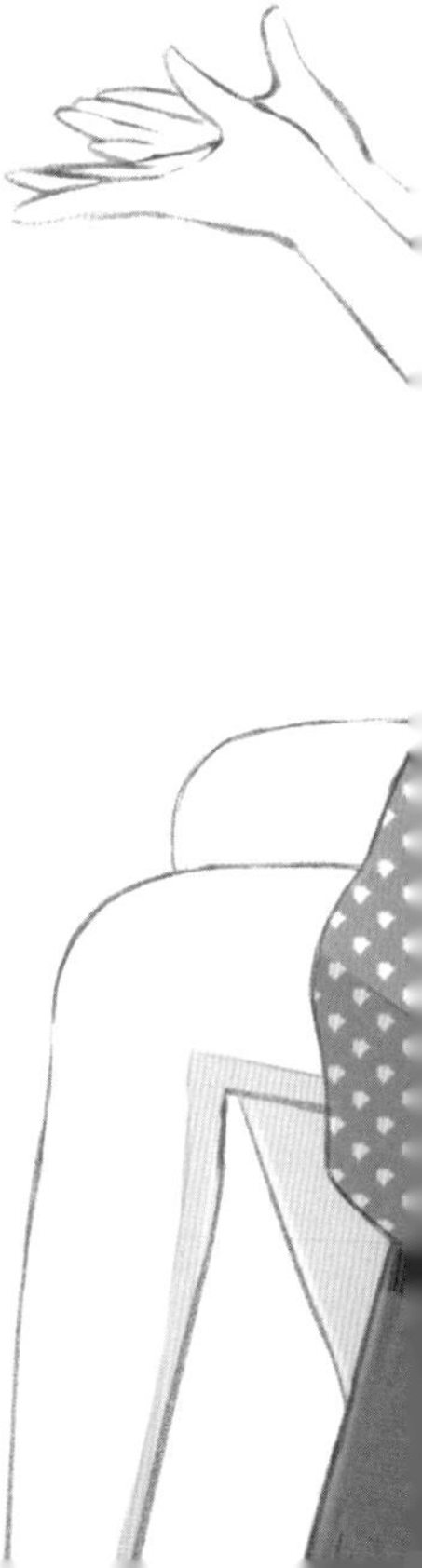

鈴《すず》の音

これは友だちのお母さんから聞いた話なんだけど……。

昔、この町に一人の女の子がいたの。

亡《な》くなったおばあちゃんのことが大好《だいす》きだったその子は、おばあちゃんからもらった金色の鈴《すず》をすごく大事にしていて、どこへいくにも必《かなら》ず持ちあるいていたんだって。

その女の子が、あるとき、神社の裏山《うらやま》でひとりで木の実拾いをしていて、古い井戸《いど》に落ちてしまったの。

それはとても深い井戸《いど》で、落ちたときに足をくじいたのか、立つこともできないし、自分でのぼることもできない。

「だれかー、助けてー」

女の子は大声をあげて、助けを呼《よ》んだ。

だけど、その日はあいにく風の強い日で、女の子の声は、すぐにかきけされてしまったの。

やがて、のどがかれて声が出なくなった女の子は、ハッと気がついて、鈴《すず》を大きくふりはじめた。

チリン、チリーン……チリン、チリーン……

鈴《すず》の音なら、風にかきけされずに、遠くまで聞こえるかもしれないと思ったのね。

冬の山はそんなにおくまでいかなくても、日が暮《く》れると一気に気温がさがって、どんどん寒くなってくる。

それでも、女の子はあきらめずに、けんめいに鈴《すず》を鳴らしつづけたの。

チリン、チリーン……チリン、チリーン……

だけど、けっきょくだれにも気づかれることなく、女の子は翌朝《よくあさ》、冷《つめ》たくなって発見された。
見つかったときは、その鈴《すず》をしっかりとにぎりしめていたんですって。
それ以来《いらい》、風の強い夜になると、裏山《うらやま》の方から鈴《すず》の音が、

チリン、チリーン……チリン、チリーン……

と、聞こえるようになったそうよ。

スウーッと、だがし屋の前をすずしい風が通りぬける。
話しおえて、ホッと息をついたソラが、ラムネに口をつけたとき、

チリーン

どこからか、軽やかな鈴《すず》の音が聞こえてきた。

ぼくがビクッとしてあたりを見まわすと、ソラはまたクスッと笑《わら》って、頭の上を指さした。

それを見て、ぼくは頭をかいた。

だがし屋さんののき先に、短冊《たんざく》のぶらさがった風鈴《ふうりん》がつられていて、それが風にゆれていたのだ。

「いまのって、いつごろの話?」

照《て》れかくしもあって、ぼくがたずねると、ソラはちょっと首をかしげて、

「たぶん、三十年くらい前じゃないかな。そのお母さんが子どものころの話っていってたから……」

そういうと、ラムネを飲みほして、立ちあがった。

「わたし、そろそろいかなきゃ。七不思議《ななふしぎ》、見つかるといいね」

「うん、ありがと」

ソラがいってしまうと、ぼくは絵馬《えま》を取りだして、裏《うら》を向けた。

いままでに見つけた七不思議《ななふしぎ》が、三つならんでいる。

ペンをだして、そのとなりに〈鈴《すず》の音〉とかこうとしたとき、

「あなた、七不思議《ななふしぎ》を集めてるの？」

だがし屋のおばさんが、ぼくの手元をのぞきこみながら話しかけてきた。

「はい。いま、井戸《いど》から聞こえる鈴《すず》の音の話を聞いたところなんです」

ぼくが顔をあげて答えると、

「ごめんなさいね」

おばさんが、急に手を合わせてあやまってきた。

「え？」

ぼくが面食らっていると、

「さっきの話に出てくる女の子って、じつは、わたしなのよ」

おばさんは、苦笑《にがわら》いのような表情《ひょうじょう》をうかべていった。

「さっきの話って……え？」

ハッと気づいて、ぼくはこしをうかせた。

話に出てきた女の子は、井戸《いど》の底《そこ》で亡《な》くなっているはずだ。ということは、いま目の前にいるのは……。

「ちがうちがう。わたしはゆうれいじゃないから」

ぼくの様子に気づいて、おばさんは笑《わら》いながら、顔の前で手をふった。

「あの話は、ちょっと脚色《きゃくしょく》してあるのよ」

おばさんの話によると、木の実拾いをしていて落ちたのは古井戸《ふるいど》ではなく、山の中にある二メートルくらいの小さながけだった。

足をくじいて動けなくなったのは本当だけど、暗くなる前にさがしにきたお母さんに見つけてもらえたらしい。

「それがどうして、あんな話になったんですか？」

「それがね……」

おばさんによると、何年か前に子ども会のきもだめしで、いまの話を脚色《きゃくしょく》して怪《かい》談《だん》っぽく語ったところ、けっこう評判《ひょうばん》がよくて、そのまま子どもたちの間で広まっていったのだそうだ。

「そうだったんですか……」

ぼくはかたを落として、ペンと絵馬《えま》をしまった。

「でも、どうして七不思議《ななふしぎ》なんか集めてるの？」

ぼくが七不思議《ななふしぎ》神社の話をすると、おばさんは感心《かんしん》したように「へーえ」と声をあげた。

「そういえば、昔、そんなうわさを聞いたような……あなた、若《わか》いのによく知ってるわね」

「友だちに教えてもらったんです」

ぼくはちょっとかたをすくめた。そして、

「あの……ほかになにか、不思議《ふしぎ》な話を知りませんか？」

気を取りなおしてたずねると、

「だったら、鬼《おに》のつめあとなんか、どうかしら」

おばさんはほおに手をあてながらいった。

「鬼《おに》のつめあと？」

「この先に、永念寺《えいねんじ》っていうお寺があるんだけど、その境内《けいだい》にある大きな石に、つめでけずったような傷《きず》が残《のこ》ってるの」

うわさでは、昔、このあたりで暴《あば》れまわっていた鬼《おに》がつけたらしい。

ぼくはおばさんにお礼をいって店を出ると、お寺に足を向けた。

だがし屋から歩いて五分ほどのところに、永念寺《えいねんじ》はあった。

小さな境内《けいだい》のおくに、たて一メートル、横二メートルほどの長方形の石があって、なにかかたいものでけずったようなあとが、ななめに五本、右上から左下に向かってついている。

ぼくが顔を近づけて、傷《きず》あとを観察《かんさつ》していると、

「その石に、興味《きょうみ》がおありかな」

住職《じゅうしょく》さんらしき人が、声をかけてきた。

ぼくが「はい」とうなずくと、

「その石には、こんないわれがありましてな……」

住職《じゅうしょく》さんは、ぼくのとなりで石を見つめながら話しはじめた。

鬼《おに》のつめあと

昔々、近くの山に、暴《あば》れんぼうの鬼《おに》が住んでおった。

鬼《おに》はときおり里におりてきては、村人をおそったり、畑をあらしたりしていた。

村人は困《こま》って、うでのたつおさむらいさんに、鬼退治《おにたいじ》をたのんだが、たいていは断《ことわ》られるか、山にはいったきり帰ってこなくなるばかりだった。

そんなある日、寺に新しい住職《じゅうしょく》がやってきた。前の住職《じゅうしょく》が、鬼《おに》を説得《せっとく》しようとして大けがを負ったので、本山《ほんざん》からかわりに派遣《はけん》されてきたのだ。


やがて、月のない夜、鬼《おに》が山から寺へとおりてきた。

「おい。なにか金目のものはないか」

住職《じゅうしょく》が返事をせずにいると、鬼《おに》はいっそう大きな声をあげた。

「食いものでもいい。はやくよこせ」

すると、住職《じゅうしょく》は鬼《おに》の前にすがたをあらわして、静《しず》かにいった。

「悪いことはいわない。山にお帰りなさい」

「なんだと」

鬼《おに》は笑《わら》った。

「おもしろい。だったら、うでずくで山に帰してみろ」

その言葉に、住職《じゅうしょく》は刀を手にして、鬼《おに》と向かいあった。

「ほほお。坊主《ぼうず》のくせに、刀を使うのか」

鬼《おに》はばかにしたようにいって、その太い、ひとかかえもあるうでをふりおろした。

住職《じゅうしょく》は後ろに飛《と》びのいて、すんでのところで、その手をかわした。

空を切った鬼《おに》の手は、そのまま地面をたたき、ドーン、とまるで地震《じしん》のようなゆれがあたりをゆるがした。

鬼《おに》はさらに、二度、三度とうでをふりおろしたが、住職《じゅうしょく》は顔色ひとつ変《か》えずに、そのこうげきをよけつづけた。

そして、鬼《おに》のつめが庭の石をガリガリとけずりとったとき、住職《じゅうしょく》は無言の気合ととともに刀をぬいて、鬼《おに》の右うでを切りおとした。

「ぎゃあっ！」

鬼《おに》はさけびながら、山ににげかえっていった。

じつは住職《じゅうしょく》は、元はとても強いさむらいだったが、人を傷《きず》つけるのがいやになって、出家《しゅっけ》してお坊《ぼう》さんになったのだ。


つぎの日の夜。

ふたたび鬼《おに》が寺にやってきて、右うでを返してほしいと住職《じゅうしょく》にたのんだ。

「もう悪さはしないとちかうか」

にらみつける住職《じゅうしょく》に、鬼《おに》は「ちかいます」と頭をさげた。

そして、右うでを返してもらうと、元通りにくっつけて、山に帰ったということだ。


「それで、鬼《おに》は約束《やくそく》を守ったんですか?」

ぼくがたずねると、住職《じゅうしょく》さんは「うむ」とうなずいて、石についた傷《きず》あとを見つめながら続《つづ》けた。

「心をいれかえた鬼《おに》は、それ以来《いらい》、村で悪さをすることはなくなった。そして、ときおり山をおりては、住職《じゅうしょく》と酒をくみかわすほどの仲《なか》になった。ところが、それから何年かたって、住職《じゅうしょく》が病にたおれてしまった。それを知った鬼《おに》が見まいにおとずれると、住職《じゅうしょく》は鬼《おに》の手をにぎって『この寺をたのむ』といったそうじゃ」

「え？」

ぼくはびっくりした。

「鬼《おに》に寺をたのんだんですか？」

うむ、と住職《じゅうしょく》さんはまたうなずいて、

「当時、この寺には決まったあとつぎがおらんかった。住職《じゅうしょく》は、鬼《おに》がすっかり改心《かいしん》していることを、見ぬいておったのじゃろう。鬼《おに》は迷《まよ》った末《すえ》に、住職《じゅうしょく》の願《ねが》いを受けいれることを決め、山をおりて、この寺におさまった。このつめあとは、暴《あば》れんぼうだったころのことをわすれないよう、いましめにおいてあるんじゃよ」

「はあ……」

でも、鬼《おに》がお坊《ぼう》さんになれるのかな……そんなことを思いながら、ふと視線《しせん》を足元に向けたぼくは、ドキッとしてこおりついた。

かたむきはじめた太陽の光を受けて、ぼくと住職《じゅうしょく》さんのかげが、地面に長くのびている。その住職《じゅうしょく》さんのかげの頭の部分から、二本の角がにょきっと生えているのが見えたのだ。

住職《じゅうしょく》さんは、かげに気づくと、

「あ、こりゃあ、しまった」

と笑《わら》って、頭に手をやった。

同時に、ひゅん、と角のかげがひっこむ。

「もう五百年もたつというのに、まだまだ修行《しゅぎょう》がたりんなあ」

「あの……ぼく、ちょっと用事を思いだしたので、失礼《しつれい》します！」

あわててかけだすぼくの後ろから、ハッハッハと地面をゆるがすような笑《わら》い声《ごえ》がひびいてきた。


お寺の門を出ると、いつのまにか暑さはずいぶんとやわらいでいた。

山の向こうからわきでてくる入道雲は、さらに大きくなって、風もかすかにしめり気をおびている。

ぼくは門の前で立ちどまって、絵馬《えま》に〈鬼《おに》のつめあと〉とかいた。

これで、七不思議《ななふしぎ》まではあと三つだ。つぎはどうしようかな、と思っていると、

「こんなところにおったんか」

すぐ後ろで聞きおぼえのある声がした。

ふりかえると、タクミが笑顔《えがお》で立っていた。

「どこいってたんだよ。急にいなくなるから、びっくりしただろ」

ぼくが問いつめると、

「ごめん、ごめん。ちょっとな」

タクミはごまかすように頭をかいて、絵馬《えま》をのぞきこんだ。

「お、四つそろったんか。そしたら、五つ目に案内《あんない》したるわ」

そういって、口をはさむひまもなく、先に立って歩きだす。

どこにいくんだろうと思っていると、タクミは寺のへいをぐるりと回りこんで、裏《うら》手《て》にある雑木林《ぞうきばやし》に足をふみいれた。

草をかきわけて、しばらく歩くと、金あみに囲《かこ》まれた大きな池があらわれた。

水は緑色にそまって、立ちいり禁止《きんし》の札《ふだ》が立っている。

ずいぶんにごった池だなあ、と思っていると、

「この池には、こんな話が伝《つた》わってるんや」

金あみの前で足を止めて、タクミが話しはじめた。

緑の池のぬし

寺の裏《うら》にある緑色の池には、ぬしが住んでいるといううわさがあった。

ぬしは、人の顔をした巨大《きょだい》なコイで、つりあげてしまうと、村に災《わざわ》いが起こるといいつたえられていたので、ここでつりをする村人はいなかった。

ところが、ある秋の夕暮《ゆうぐ》れのこと。一人の男がつりざおを手に、池にやってきた。

男は村一番のひねくれ者で、だれもつりをしないなら、さぞたくさんの魚がつれるだろうと考えたのだ。

しかし、いくらつり糸をたれても、いっこうに魚は食いつかない。そろそろあきらめて帰ろうかと思ったとき、ようやくあたりがきた。それも、かなり強い引きだ。

「これは大物だぞ」

男は足をふんばり、歯をくいしばってつりざおを引っぱりあげた。

そして、つりあげた魚を見て、おどろいた。

それは、人の顔をした大きなコイだったのだ。

男が言葉を失《うしな》っていると、コイは男の顔をじろっとにらんで、

「つるなよ」

いやそうな声で、はっきりとそういった。

こわくなった男は、反射的《はんしゃてき》にコイをたたきころすと、穴《あな》をほってうめてしまった。

それからしばらくして、村に異変《いへん》が起こった。雨がまったく降《ふ》らなくなり、村中のため池が干《ひ》あがってしまったのだ。

村にある七節《ななふし》神社には水神《すいじん》さまがまつられていたのだが、雨ごいの儀式《ぎしき》をおこなっても雨は降《ふ》らず、水神《すいじん》さまがたくしていった、水をおさめる力を持つ宝玉《ほうぎょく》を使っても、うまくいかなかった。

もしかしたら、これは池のぬしがおこっているのではないかと考えた村人たちは、裏《うら》の池に集まって、みんなでおいのりをすることにした。

男は自分だけいかなかったらあやしまれると思い、おそるおそる参加《さんか》した。

村人たちの見守る中、神主《かんぬし》さんがおいのりをはじめる。すると、

「ゲボッ！」

男の口から、水草や土の混《ま》じった池の水があふれだした。

男はおどろく村人たちをかきわけるようにして、池のへりにひざをつくと、口からわきでてくる水を、底《そこ》の見えかけていた池にはきだした。

干《ひ》あがりそうだった池は水で満《み》たされ、反対に男はからからに干《ひ》からびていった。

やがて、池の水がいっぱいになると、干物《ひもの》のようになった男は、ふらりと池に落ちて、そのままとけるように消えてしまった。

その後、男とそっくりな顔をした
コイが、池で見られるようになった
ということだ。

「その男が、つぎのぬしになったらしい」

タクミの言葉に、ぼくは金あみごしに、池の中をのぞきこんだ。

にごった水の中で、魚の泳ぐかげだけが見える。

その中でも、とくに大きな魚がぐんぐんと水面に近づいてきて、パシャ、と池からはねた。

そのしゅんかん、ぼくは「え？」と声をあげた。

「どないした？」

タクミに聞かれて、

「あ、いや、なんでもない」

ぼくはあわてて首をふった。

池からはねたしゅんかん、まるで人間のような顔をした魚が、ぼくを見ていやそうな声で、

「見るなよ」

といった気がしたのだ。

ぼくは絵馬《えま》に〈緑の池のぬし〉とかきこむと、池に背《せ》を向けて、林をあとにした。

これで五つ。あと少しで完成《かんせい》だ。

林を出ると、入道雲がさっきよりも広がって、空はだんだん暗くなりはじめていた。

「間に合うかな……」

タクミがぽつりとつぶやく。

陽がしずむまでに、七不思議《ななふしぎ》をあと二つ集めないといけないいんだけど、タクミが思いだせたのは、あとひとつだけらしい。

とりあえず、足をはやめてその場所に向かいながら、ぼくは絵馬《えま》の裏《うら》に〈七節《ななふし》神社の神隠《かみかく》し〉とかくかどうかを迷《まよ》っていた。

もし絵馬《えま》に認《みと》められたら、そのしゅんかん、タクミのすがたが消えてしまうような気がしていたのだ。

決心がつかないまま、つぎにやってきたのは、両がわを灰色《はいいろ》のブロックべいにはさまれた、長い坂道だった。

ゆるやかな坂が、ずうっと向こうまで続《つづ》いている。

「この坂は、三年坂って呼《よ》ばれてるんやけどな……」

「え？」

聞いたことのある名前に、ぼくは思わず声をあげた。

「もしかして、のっぺらぼうが出るとか？」

「のっぺらぼう？」

タクミが意外そうに目を丸くする。

「そうなんか？　おれが知ってるのは、おんばりょの話なんやけど……」

「おんばりょ？」

「うん。おっぱっしょ、って呼《よ》ぶこともあるけど、昔から伝《つた》わってる話なんや」

そういって、タクミは語りはじめた。

三年坂のおぶさりゆうれい

夕暮《ゆうぐ》れどきに三年坂をのぼっていると、ちょうど坂の中ほどで、着物すがたのおばあさんがうずくまっていることがある。

「だいじょうぶですか?」

と声をかけると、おばあさんは、

「ちょっと胸《むね》が苦しくて……」

というので、背《せ》おって坂をのぼろうとすると、背中《せなか》がどんどん重くなっていく。

おかしいなと思ってふりむくと、小がらだったおばあさんが、二倍にも三倍にも大きくなって、ニヤリと笑《わら》うという。

これは〈おんばりょ〉とか〈おっぱっしょ〉と呼《よ》ばれる妖怪《ようかい》で、人間をおどろかせてよろこんでいるだけで、とくに害《がい》はないらしい。

ある日、このおんばりょがつぎのえものを待っていると、おばあさんが、三歳《さい》くらいの小さな女の子を背《せ》おって坂をのぼってきた。

ところが、坂を半分ものぼらないうちに、足を止めて息を切らしている。

やってくるのを待ちかまえていたおんばりょは、しびれを切らして、自分から近づいていった。

「おばあさん、どうしたんだい?」

おんばりょが声をかけると、おばあさんは困《こま》り顔をしていった。

「孫《まご》むすめが熱《ねつ》を出したので、坂の上の医者につれていくところなのですが、なにしろわたしも年で……」

見ると、背中《せなか》の女の子は真っ赤な顔をして、息もあらく、いかにも具合が悪そうだ。

「しょうがねえなあ……乗りな」

おんばりょはそういって、おばあさんに背中《せなか》を向けると、しゃがんで後ろに手を回した。

おばあさんは目を丸くして、

「え……でも……」

といった。

「あ、そうか」

おんばりょは、頭をかいた。自分がおばあさんのすがたに化けていたことを、すっかりわすれていたのだ。

「それじゃあ、これでどうだい？」

おんばりょは、若《わか》い男にすがたを変《か》えた。

そして、おどろいているおばあさんを、孫《まご》むすめごと強引に背《せ》おうと、一気に坂をかけのぼった。

あっという間に坂のてっぺんに到着《とうちゃく》して、二人をおろしたおんばりょに、おばあさんは深々と頭をさげてたずねた。

「ありがとうございました。あの……お名前は？」

「名前？　えっと……おぶ……おぶうっていうんだ」

おんばりょは、なんだか照《て》れくさくて適当《てきとう》な名前を答えると、にげるようにその場を立ちさった。


それから数日後。

すっかり元気になった女の子が、おばあさんといっしょに三年坂にやってきた。

「おぶうさん」

いつものように、おばあさんのかっこうをしてしゃがみこんでいたおんばりょに、女の子は笑顔《えがお》で声をかけた。

「この間は、ありがとう」

「おまえ、おれがこわくないのか？」

おんばりょは、おばあさんのすがたのまま、若《わか》い男の口調《くちょう》でそういった。

女の子は首をふると、

「だって、助けてくれたもの」

そういって、一足のぞうりを差《さ》しだした。

はだしだったおんばりょのために、持ってきてくれたのだ。

「これ……おれに？」

おんばりょはおどろいた。

女の子はこくんとうなずくと、

「この間のお礼」

そういって、夕暮《ゆうぐ》れのはじまった坂を、手をふりながら帰っていった。

女の子のすがたが見えなくなると、おんばりょはそっとぞうりをはいてみた。

「へーえ、こいつはいいや」

生まれて初《はじ》めてぞうりをはいたおんばりょは、足ぶみをしてよろこんだ。

おんばりょは、それからもあいかわらずいたずらを続《つづ》けているけれど、ときおり、重い荷物を荷車で引く女の人を手伝《てつだ》ってやったり、迷子《まいご》の子どもの手を引いてやったりと、みんなに感謝《かんしゃ》されるようなこともするようになったということだ。

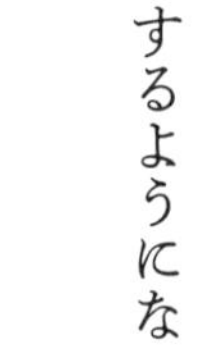

「そのおばけは、いまもこの坂にいて、たまにいたずらをしてるらしいで」
坂のてっぺんまであと少しのところで、タクミは足を止めて、坂を見おろしながらいった。
「でも、そんなうわさが広まったら、坂のとちゅうでうずくまってても、だれも声をかけてくれないんじゃないの?」
「そやから、最近《さいきん》は勝手に乗ってくるらしい」

ぼくの疑問《ぎもん》にタクミが答えたとき、一台の自転車がぼくたちの横を通って、坂をのぼっていった。

高校生の男の子が、真っ赤な顔で立ちこぎをしている。

その自転車の荷台では、着物すがたにぞうりをはいたおばあさんが、横向きにこしかけて笑《わら》いながら小さくなっていった。

いつのまにか、空はすっかり厚《あつ》い雲におおわれて、太陽は見えなくなっていた。

だけど、時間的には、もうそろそろ日没《にちぼつ》が近いはずだ。

「いくつそろった？」

タクミに聞かれて、ぼくは絵馬《えま》を見なおした。

〈口を開く狛犬《こまいぬ》〉〈手招《てまね》き地蔵《じぞう》〉〈怪談好《かいだんず》きの河童《かっぱ》〉〈鬼《おに》のつめあと〉〈緑の池のぬし〉、
そして最後《さいご》にかいた〈三年坂のおぶさりゆうれい〉――やっぱり六つしかない。

「あとひとつはなんやったかなあ……」

タクミが頭をかかえてうなっている。

「とりあえず、神社にいってみよう」

ぼくはそういって、タクミの背中《せなか》をおした。

神社に向かって歩きながら、ぼくはまだ迷《まよ》っていた。

もし、絵馬《えま》に神隠《かみかく》しのことをかいて、それが本物だったら、タクミはどうなるのだろうか――。

けっきょく決心がつかないまま、ぼくたちは神社に到着《とうちゃく》した。

七節神社

神社の石段《いしだん》をのぼりきるころには、空はさらに暗さを増《ま》して、いまにも雨が降《ふ》りだしそうだった。

「あ、そうや。七不思議《ななふしぎ》のお願《ねが》いをするときは、先に手をたたいて願《ねが》い事《ごと》をとなえてから、最後《さいご》に鈴《すず》を鳴らさなあかんからな」

タクミの説明《せつめい》を聞きながら、鳥居《とりい》をくぐって参道《さんどう》を歩く。

拝殿《はいでん》に一歩一歩近づきながら、ぼくは今日一日のできごとを思いかえしていた。

シンちゃんたちにソラ、だがし屋のおばさん、永念寺《えいねんじ》の住職《じゅうしょく》さん……今日だけで、いろんな場所をめぐり、たくさんの人と話をすることができた。

おかげで、この町にもずいぶんとなじめた気がする。

それも全部、この神社でタクミと出あって、七不思議《ななふしぎ》をさがしに出かけたことがきっかけだったのだ。

さい銭箱《せんばこ》の前に立つと、ぼくはタクミをふりかえった。

「……なんだよ」

不思議《ふしぎ》そうに見つめかえすタクミに、

「じつは……」

ぼくはばあちゃんから、神社には神隠《かみかく》しの伝説《でんせつ》があると聞いたことを話した。

「神隠《かみかく》し？」

タクミは首をかしげた。

「聞いたことない？」

「いや、なんか聞いたことがあるような……」

そのとき、山の方から雷《かみなり》の音が聞こえてきた。

「なんでもいいから、はやくかいて、出してこい」

タクミにうながされて、ぼくはリュックから絵馬《えま》とペンを取りだすと、思いきって
〈七節《ななふし》神社の神隠《かみかく》し〉とかいた。

そして、文字が消えるか消えないかをたしかめる間もなく、さい銭箱《せんばこ》の向こうがわ、拝殿《はいでん》のとびらの前に絵馬《えま》を置《お》いた。

ポツ……ポツ、ポツ……

「あれ？」

タクミがつぶやいて、空を見あげる。

とうとう雨が降《ふ》りだしたみたいだ。

雨はあっという間に本降《ほんぶ》りになって、拝殿《はいでん》の屋根を強くたたいた。

ぼくはさい銭箱《せんばこ》から一歩さがると、

「タクミは、なにかお願《ねが》いしたいことはないの？」

と、あらためて聞いた。

タクミはいっしゅん、おどろいた顔を見せたけど、すぐに笑顔《えがお》になって、

「おれはええよ。それより、はやくたのまな、間にあわへんで」

そういって、ぼくの背中《せなか》をそっとおした。

ぼくは拝殿《はいでん》に向きなおると、小さく深呼吸《しんこきゅう》をした。

それから拍手《かしわで》を打って、心の中で願《ねが》い事《ごと》を唱《とな》えた。

（おばあちゃんにけがをさせたひったくりの犯人《はんにん》がつかまって、バチがあたりますように。

それから……）

今日のお昼前に、神社にきたときは、引っこす前の家にもどれますように、とお願《ねが》

いするつもりだった。だけど、いまは――
（それから、タクミが無事に自分の家に帰れますように！）
頭の中で一気に唱《とな》えると、ぼくは目を開けて、麻縄《あさなわ》をつかんだ。
そして、うでに力をこめてふりかぶったしゅんかん――

バリバリバリバリバリッ！

耳をつんざくような激《はげ》しい音とともに、あたりが白い光につつまれた。
同時に、まるで地面からつきあげられるような振動《しんどう》がおそいかかってきて、大きくバランスをくずしたぼくは、頭に強いしょうげきを受けて、そのまま意識《いしき》が遠くなっていった――。

目を覚ましたのは、病院のベッドの上だった。

「リク？　気がついた？」

母さんがいまにも泣《な》きそうな表情《ひょうじょう》で、ぼくの顔をのぞきこんでいる。

すぐにお医者さんが呼《よ》ばれて、ぼくは診察《しんさつ》を受けた。

どうやら、ご神木《しんぼく》に雷《かみなり》が落ちたしょうげきで転んだぼくは、そのひょうしにさい銭《せん》箱《ばこ》で頭を打って、気を失《うしな》ってしまったらしい。

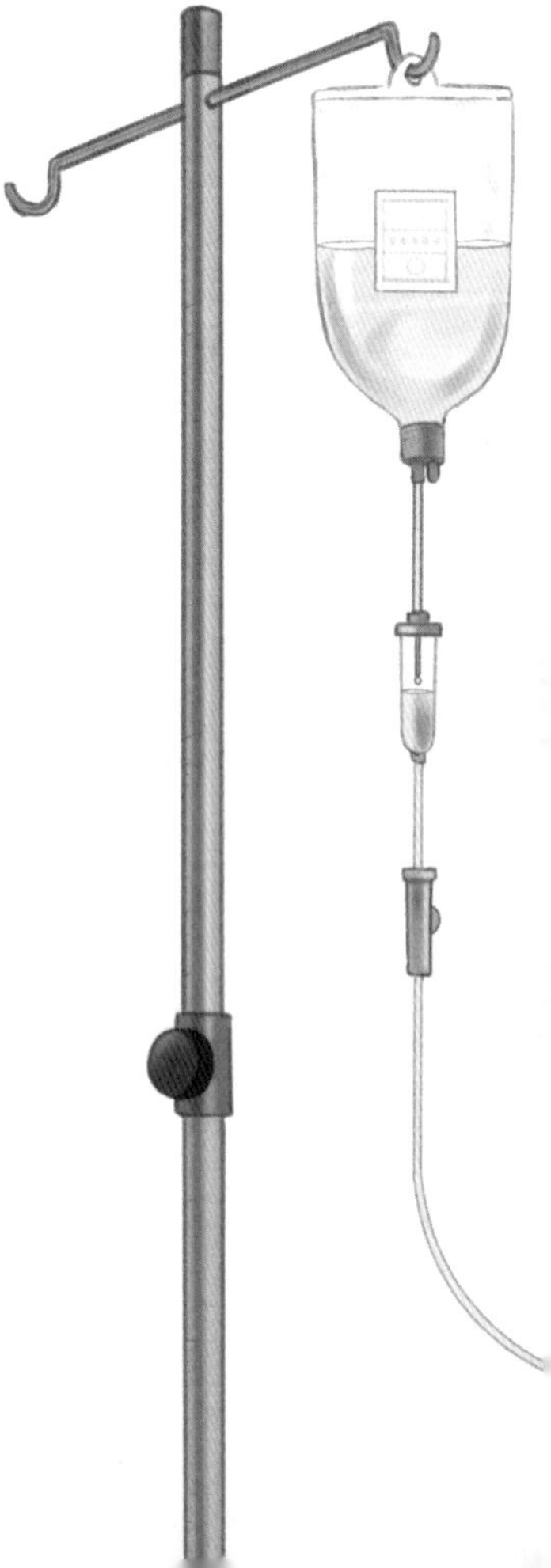

「心配はなさそうですが、念《ねん》のためひと晩《ばん》入院して明日もう一度検査《けんさ》をしましょう」

お医者さんがそういって部屋を出ていくと、

「タクミはどうなったの?」

ぼくは母さんに聞いた。

「タクミ?」

「ぼくといっしょに、男の子がいなかった?」

「いいえ」

母さんはとまどった様子で首をふった。

「そんな話は聞いてないけど」

「……そっか」

かたの力がぬけて、ぼくは大きく息をはきだした。

「その子がどうかしたの?」

母さんの問いに、

「なんでもない」

ぼくは首をふって、窓《まど》の外に目をやった。

いつのまにか、すっかり雨はあがって、白い月が夜空にかがやいていた。

つぎの日、検査《けんさ》が終わって、退院《たいいん》が認《みと》められたので、父さんが車でむかえにきてくれた。

その帰り道。

「じつはな——」

病院を出るなり、父さんが口を開いた。

「昨夜《さくや》、ひったくりの犯人《はんにん》がつかまったんだ」

「え？　ほんと？」

ぼくは後部座席《ざせき》から身を乗りだした。

「どうやってつかまったの？」

「それが……」

父さんはなぜか困《こま》ったような表情《ひょうじょう》で、助手席《じょしゅせき》の母さんと顔を見あわせた。

父さんが警察《けいさつ》から聞いたという、ひったくり犯《はん》の供述《きょうじゅつ》は、とても奇妙《きみょう》なものだった。

昨日《きのう》の夜おそく、犯人《はんにん》の男はバイクをとめて、永念寺《えいねんじ》の裏《うら》にある雑木林《ぞうきばやし》にはいっていった。

ひったくりでぬすんだお金や貴重品《きちょうひん》を、池のそばにうめてかくしていたのだ。

男がお金を回収《かいしゅう》していると、池の方からバシャバシャと水音が聞こえてきた。

なんだろうと思って、懐中電灯《かいちゅうでんとう》を向けると、人間の顔をした大きなコイが、池から顔を出して、

「おまえなにしてるんだ」

といった。

おどろいた男は、林を飛《と》びだすとバイクに乗って走りだした。

ところが、三年坂のとちゅうで、急にバイクが重くなった。

ふりかえると、バイクの後ろに着物すがたのおばあさんが乗っている。

ニヤリと笑《わら》うおばあさんに、悲鳴をあげながら、なんとか坂をのぼりきると、とつぜん目の前に、身長が三メートルはありそうな、巨大《きょだい》な鬼《おに》があらわれた。

するどいつめでおそいかかってくる鬼《おに》から、必死《ひっし》でにげまわっているうちに、バイクはいつのまにか、田んぼに囲《かこ》まれた道を走っていた。

すると、今度はハンドルが動かなくなった。

正面では、笑《え》みをうかべたお地蔵《じぞう》さまが、竹やぶの中でゆらゆらと手招《てまね》きをしている。

男のバイクは、まるですいこまれるように竹やぶにつっこんだ。

「あいててて……」

バイクから放りだされて、男がうめいていると、道の向こうから、ガウガウとうなり声をあげながら、二匹《ひき》の狛犬《こまいぬ》が走ってきた。

「うわあっ！」

おどろいた男は、バイクを捨《す》てて夢中《むちゅう》でかけだした。

どれくらい走ったのか、月森川《つきもりがわ》の川原ににげこんだ男が、背《せ》の高い草のかげに身をかくしていると、だれかが足首をつかまえた。

え？　と思ってふりかえると、河童《かっぱ》が川から顔を出して、男の足をつかんでいる。

つぎのしゅんかん、男は声をあげるひまもなく、川の中にひきずりこまれていった……。

ずぶぬれになって、七節神社《ななふし》の石段《いしだん》の下にたおれている男に、パトロール中の警察官《けいさつかん》が話しかけたところ、男はいままでの罪《つみ》を、すべて自分から告白《こくはく》したのだそうだ。

「警察《けいさつ》の人も、夢《ゆめ》でも見たんじゃないかってあきれてたよ」

お父さんはそういって笑《わら》ったけど、ぼくにはわかっていた。

七不思議《ななふしぎ》が、ぼくの願《ねが》いをかなえてくれたのだ。

ということは、「タクミが無事に自分の家に帰れますように」という、もうひとつの願《ねが》いもかなったにちがいない。

タクミはもういないんだ――そう思うと、鼻のおくがツンとして、視界《しかい》がぼやけた。

「どうした？　どこか痛《いた》いのか？」

信号待《しんごうま》ちで、心配そうにふりかえる父さんに、ぼくはなみだをうかべたまま、元気よく首をふった。

「なんでもない。新学期が楽しみになっただけだよ」

「いってきまーす」

二学期の始業式の朝。ぼくは大きく手をふって、家を飛《と》びだした。

頭上には雲ひとつない、真っ青な空が広がっている。

少し回り道をして、永念寺《えいねんじ》の前を通ると、住職《じゅうしょく》さんが竹ぼうきで門の前をそうじしていた。

「おはようございます」

ぼくが大声であいさつをすると、

「おはよう。気をつけていくんだよ」

住職《じゅうしょく》さんは笑顔《えがお》で手をふりかえしてくれた。

「おーい、リク」

角を曲がったところで名前を呼《よ》ばれたので、足を止めると、シンちゃんとソラがならんで歩いてくるところだった。

「ひったくりの犯人《はんにん》、つかまったらしいな」

シンちゃんが、ぼくのかたをたたきながらいった。

「うん」

「ねえ、神社の狛犬《こまいぬ》が、犯人《はんにん》のえり首をくわえて交番まで連《つ》れていったって、本当なの？」

「まさか」

ソラの言葉に、ぼくは笑《わら》って首をふった。

退院《たいいん》してから、夏休みが終わるまでの数日間、念《ねん》のため家で安静《あんせい》にしていたので、だれとも会わなかったんだけど、その間に、うわさがおかしな形で広まったみたいだ。

タクミは無事に帰れたのかな……そう思って、ぼくが遠い空を見あげたとき、

「あ、タクミくん」

ソラが声をあげた。

「え？」

その視線《しせん》の先を追《お》って、ぼくはぽかんと口を開けた。

道の向こうから、ランドセルを背《せ》おったタクミが歩いてくるのが見えたのだ。

タクミはぼくに気がつくと、笑顔《えがお》で手をあげた。

「おはよう、リク。けがはもうだいじょうぶなんか？」

「え？ うん。でも……」

とつぜんのタクミの登場に、ぼくが混乱《こんらん》していると、

「タクミ。いいかげん、マンガ返せよ」

シンちゃんがタクミの背中《せなか》をパシンとたたいた。

「ごめん、シンちゃん。やっと読みおわったから、あとで家まで持っていくわ」

タクミは顔の前で手を合わせた。

それから、ぼくの耳元に顔を近づけて、早口でいった。

「見まいにもいかんと、すまんかったな。塾《じゅく》をさぼってたのがばれて、家から出してもらわれへんかったんや」

状況《じょうきょう》が理解《りかい》できないまま、ぼくはならんで歩きながら、タクミの話を聞いた。

あの日、タクミは塾《じゅく》の夏期講習《こうしゅう》にいくのがいやで、神社の境内《けいだい》にかくれてさぼっていたらしい。

そこでぼくと出あい、塾《じゅく》にいくよりもこっちの方がおもしろそうだと思って、七不思議探検《ななふしぎたんけん》に出発した。

そして、雷《かみなり》がご神木《しんぼく》に落ちて、ぼくが気を失《うしな》ったのを見ると、神主《かんぬし》さんに救急車《きゅうきゅうしゃ》を呼《よ》んでもらい、病院《びょういん》に運ばれるのをかげで見とどけてから帰った。

本当はお見まいにいきたかったんだけど、すぐに退院《たいいん》したことは聞いていたし、親の監視《かんし》がきびしくなって、夏休みが終わるまで家から出られなかったのだそうだ。

ちなみに、川原でとつぜんすがたを消したのは、シンちゃんに借《か》りたマンガをまだ読んでなかったので、顔を合わせたくなかったからだった。

けっきょく、全部ぼくのはやとちりだったのだ。

「なんだ、神隠《かみかく》しじゃなかったのか……」

ぼくは大きく息をはきだしながらいった。

「え？　神隠《かみかく》し？」

「うん。あのね……」

ぼくが、ばあちゃんから聞いた話をすると、

「ああ、それはタクジおじさんのことや」

タクミはそういって笑《わら》った。

「おじさん？」

「おばあちゃんの兄貴《あにき》やから、正確《せいかく》には大おじさんやけどな」

タクミの話によると、タクジおじさんは五年生の夏休みに、家の都合でよその土地に引っこしていったんだけど、出発の日も遊ぶのが楽しくて、引っこしのことを友だちにいいだせないまま、直前まで神社でかくれんぼをしていたらしい。

その最中《さいちゅう》に、親に見つかって、だまって出発したために、子どもたちの間で「神隠《かみかく》しにあった」と、ちょっとしたさわぎになったのだ。

その後、誤解《ごかい》は解《と》けたんだけど、うわさを耳にしたちがう学年の子どもたちの中には、そのまま信《しん》じてしまった人も少なくなかった。

ぼくのばあちゃんも、どうやらその一人だったようだ。

「おばあちゃんにいわせたら、おれ、そのタクジおじさんの子どものころに、そっくりなんやって」

タクミはそういって、ニッと笑《わら》った。

そういえば、ばあちゃんも消えた男の子の名前を、「タクジとかタクミとか、そんな名前やなかったかなあ」といっていた。

「でも……」

ぼくにはまだ疑問《ぎもん》が残《のこ》っていた。

神隠《かみかく》しがぼくのかんちがいだったのならば、ぼくの願《ねが》いはどうしてかなったのだろう。

ぼくがそういうと、

「そやけど、神隠《かみかく》しの伝説《でんせつ》自体はほんまらしいで」

タクミはあっさりといった。

「え？」

あの日、タクミが家に帰ってからおばあさんに聞いてみると、たしかにそういううわさがあるらしい。

「なんでも、ご神木《しんぼく》のてっぺんにのぼったら、山から天狗《てんぐ》がおりてきて、天狗《てんぐ》の隠《かく》れ里《ざと》に連《つ》れていかれるんやって」

「天狗《てんぐ》？」

ぼくは目を丸くした。

「うん。そやから、七不思議《ななふしぎ》はちゃんとそろってたんとちがうか？」

タクミの言葉に、ぼくは「そうか……」とつぶやいた。

やっぱり、七不思議《ななふしぎ》神社のいいつたえは本物だったのだ。

引っこす前の家にもどりたい、なんて願《ねが》わなくてよかったな、とぼくがこっそり胸《むね》をなでおろしていると、

「それで、その天狗《てんぐ》のくわしい話を、神主《かんぬし》さんに聞きにいこうと思うんやけど、始業式が終わったら、いっしょにいかへんか？」

タクミが目をかがやかせていった。

「うん、いこう」

ぼくは力強くうなずくと、学校へと続《つづ》く道を、競《きそ》うようにして走りだした。

作　緑川聖司（みどりかわせいじ）

2003年に日本児童文学者協会長編児童文学新人賞佳作を受賞した『晴れた日は図書館へいこう』（小峰書店）でデビュー。作品に「本の怪談」シリーズ、「怪談収集家」シリーズ、「福まねき寺」シリーズ（以上ポプラ社）、「アニマルパニック」シリーズ（集英社みらい文庫）、「霊感少女」シリーズ（角川つばさ文庫）などがある。また「笑い猫の5分間怪談」シリーズ（KADOKAWA）など、アンソロジー作品にも多く参加している。大学の卒業論文のテーマに「学校の怪談」を選んだほどの筋金入りの怪談好き。大阪府在住。

絵　TAKA（たか）

2013年『視えるがうつる!? 地霊町ふしぎ探偵団』（角川つばさ文庫）の挿絵にてデビュー。2018年度版NHK語学テキスト「基礎英語3」の挿絵をはじめ、児童書や中学生高校生向け書籍や雑誌、新聞などへのイラストを数多く手がけている。季節になると青春18切符を片手に、のり鉄してたりする、スイーツ大好き甘党イラストレーター。大阪府在住。
https://www.taka-illust.com

◉本書は、毎日新聞関西版朝刊「読んであげて」のコーナーで2017年9月に連載した原稿を元に加筆した作品です。

七不思議神社

作　緑川聖司
絵　TAKA

2019年 7 月　初　版
2023年 6 月　第10刷

発行者　岡本光晴
発行所　株式会社あかね書房
〒101-0065 東京都千代田区西神田3-2-1
電話　03-3263-0641（営業）
03-3263-0644（編集）
印刷所　錦明印刷株式会社
製本所　株式会社ブックアート
ブックデザイン　坂川朱音（朱猫堂）

落丁本・乱丁本はおとりかえいたします。
定価はカバーに表示してあります。

ISBN978-4-251-03735-0 C8093 NDC913 143p 20cm×14cm
https://www.akaneshobo.co.jp